COLLECTION

SAVANT EN HERBE

CLOUS, VIS ET COLLES

ÉDITIONS GAMMA

PARIS – TOURNAI

Les clous servent à assembler
des morceaux de bois.
Que font ces ouvriers?

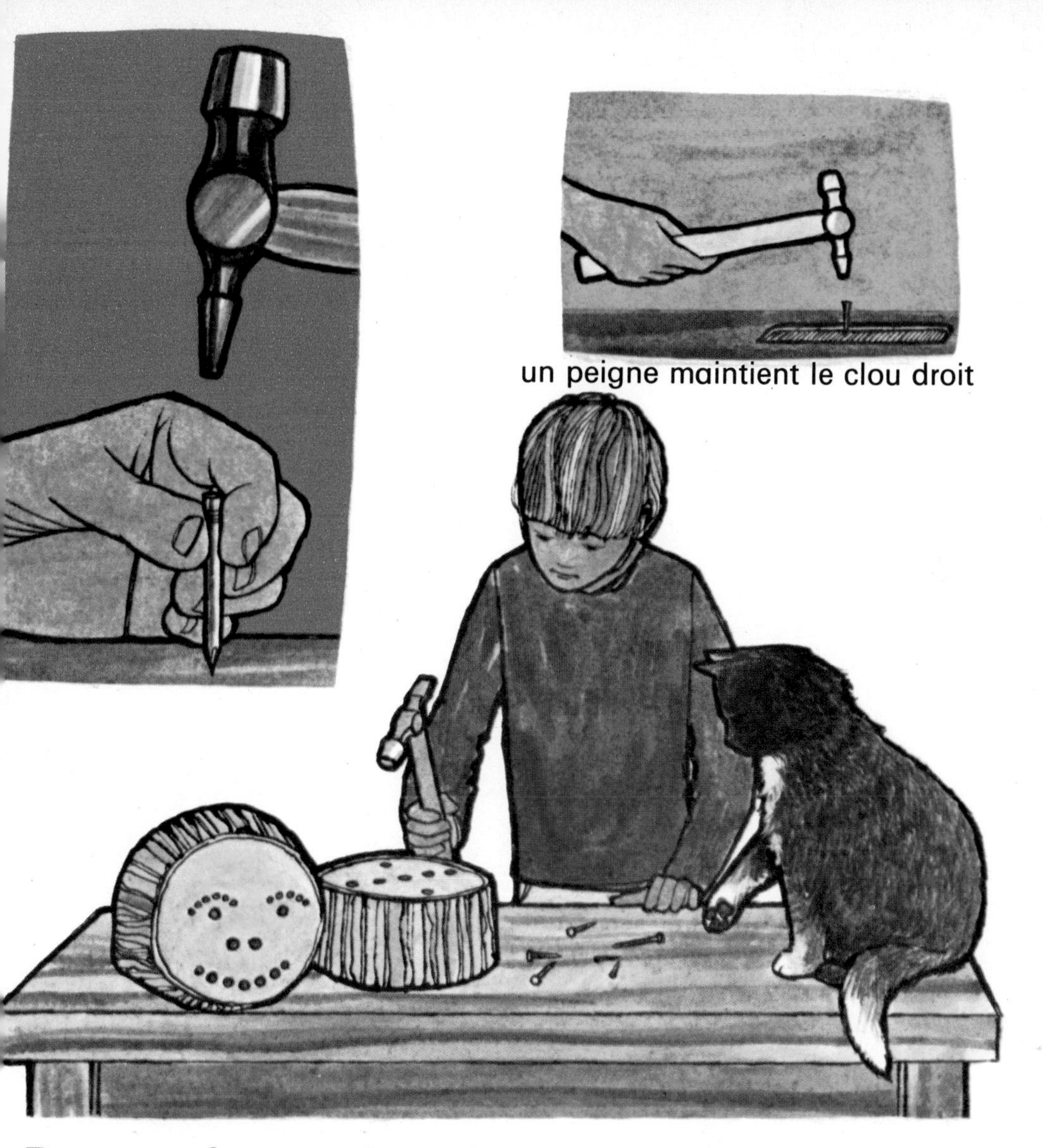

un peigne maintient le clou droit

Pour enfoncer les clous, il te faut
un marteau. Exerce-toi sur une bûche.
Attention: ne te tape pas sur les doigts.
Tu peux former divers motifs de clous.

Certains clous ont une large tête.
Ils maintiennent solidement
ce qu'on cloue.

D'autres clous ont une petite tête.
Les crampillons (appelés aussi ponts ou clous cavaliers) fixent des fils.

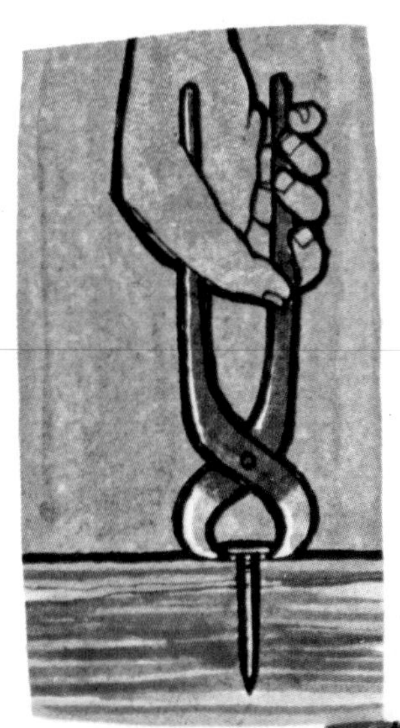

1. Agrippe

2. Tire
en pench
les tenaill

3. Agrippe plus bas

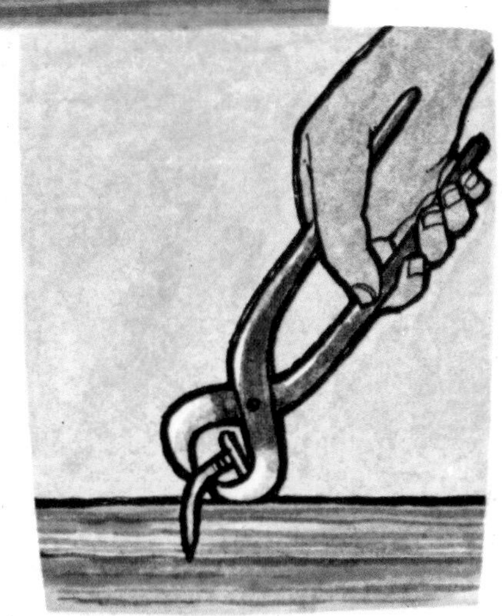

4. Tire encore

Les tenailles te permettent
d'arracher des clous.
Les clous arrachés sont déformés.

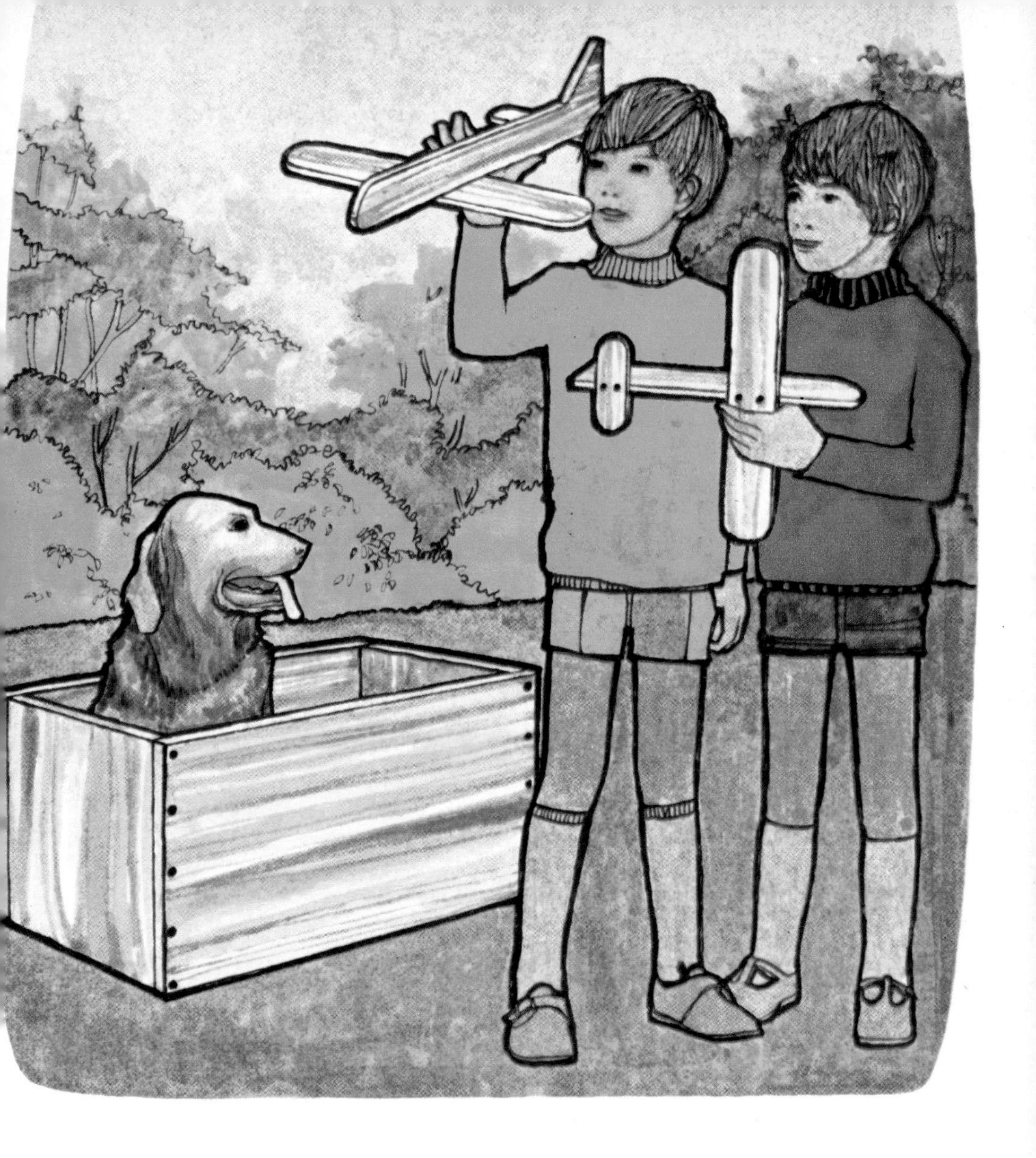

Veux-tu fabriquer une caisse ou
un petit avion en bois?
Assemble les parties avec des clous.

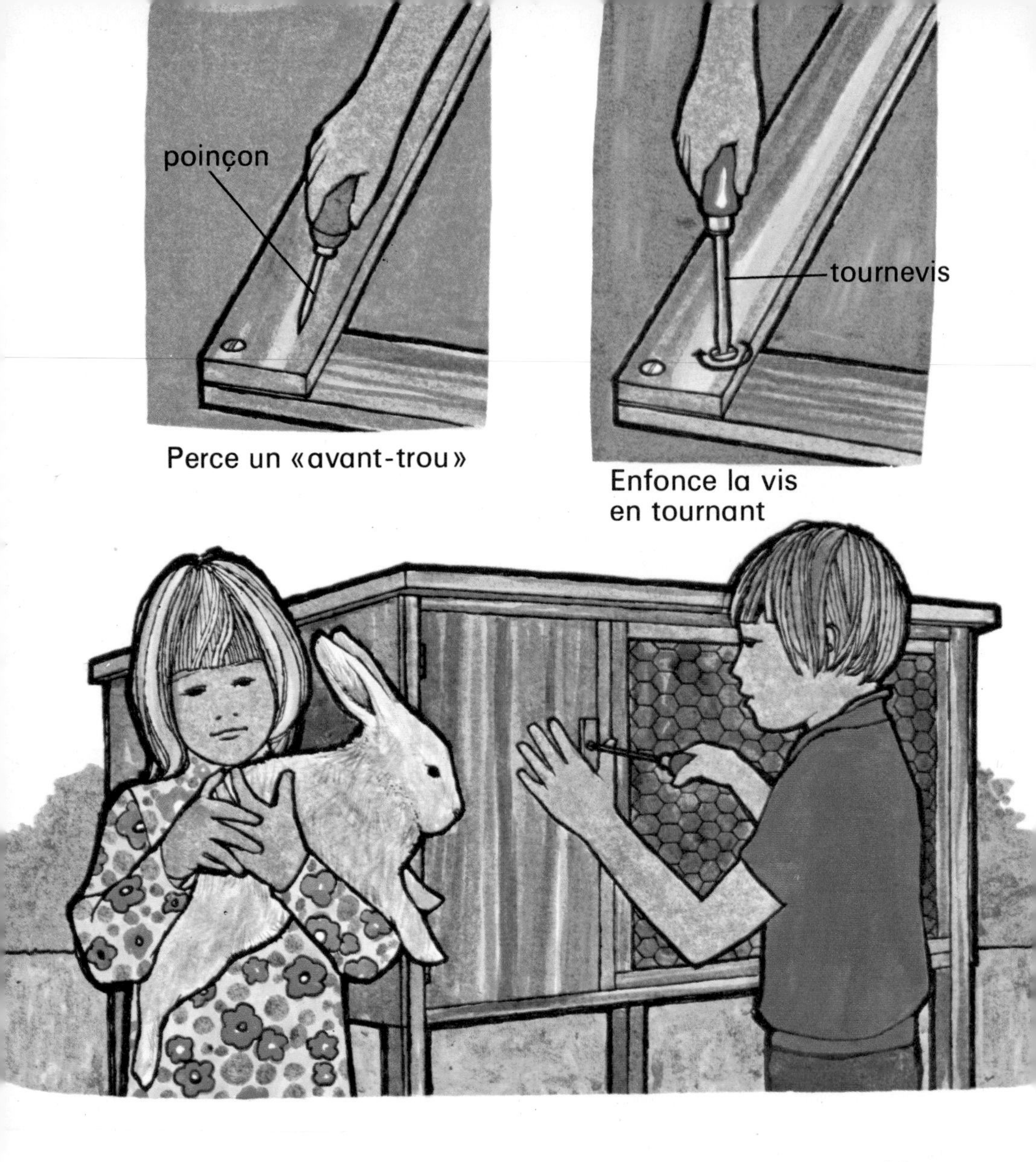

Perce un «avant-trou»

Enfonce la vis
en tournant

Les vis assemblent solidement les pièces.
Perce d'abord un petit trou.
Enfonce la vis à l'aide du tournevis.

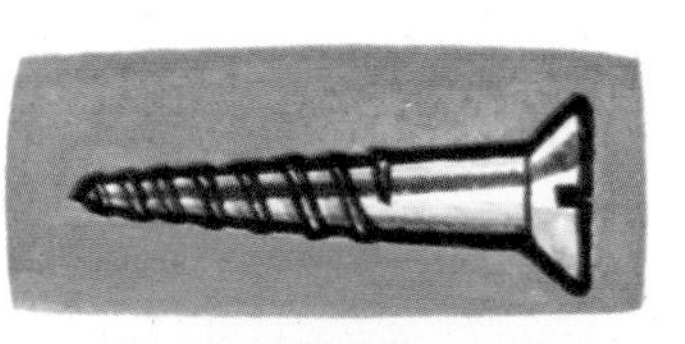

La tige de la vis porte une rainure
en forme de spirale: c'est le pas de vis.
Vois-tu d'autres spirales
sur cette illustration?

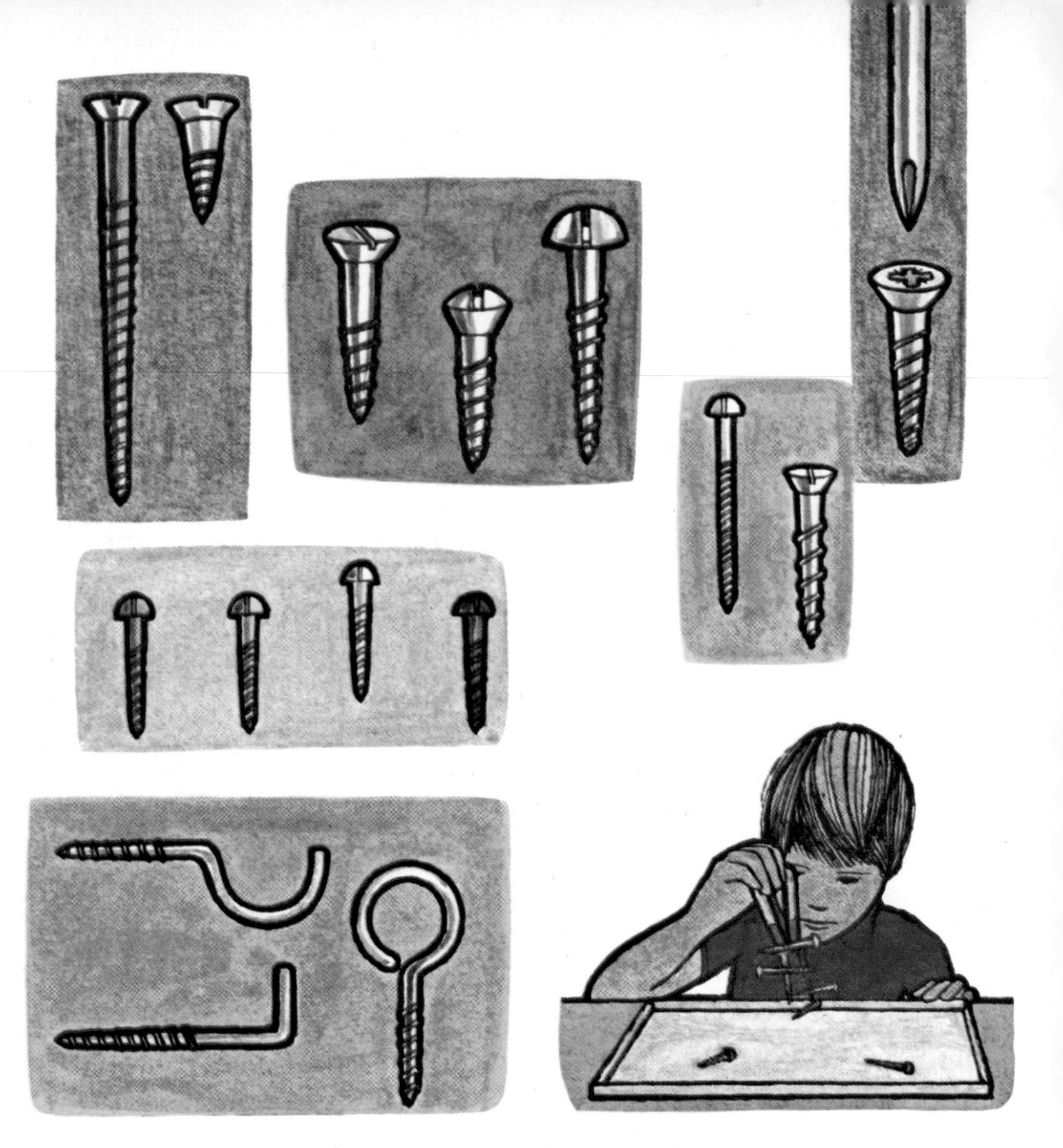

Il y a plusieurs sortes de vis.
La plupart sont en fer.
Sers-toi d'un aimant pour reconnaître celles qui sont en fer et les autres.

dévisser

Les vis peuvent être dévissées
et utilisées à nouveau.
Les meubles sont démontés, pour
faciliter un déménagement, par exemple.

Avec des planches en bois et des vis,
tu peux assembler une bibliothèque.

Veux-tu fabriquer cette mangeoire
pour les oiseaux de ton jardin?
Prévois un crochet à visser où
tu pendras des morceaux de nourriture.

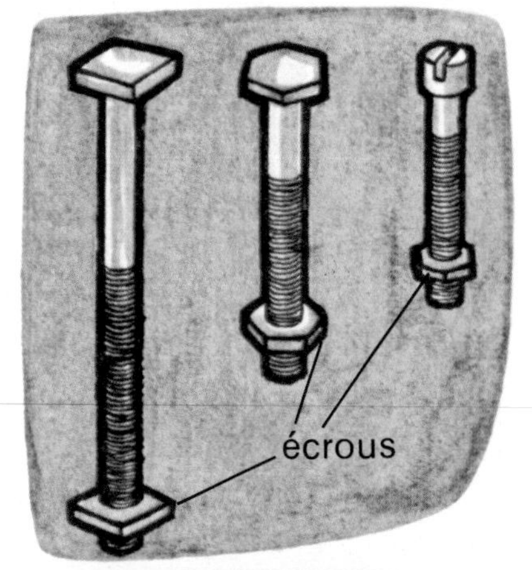

Pour assembler d'épais morceaux de bois ou de métal, on perce un trou à travers ces pièces. Un boulon y est introduit. Un écrou est vissé au bout.

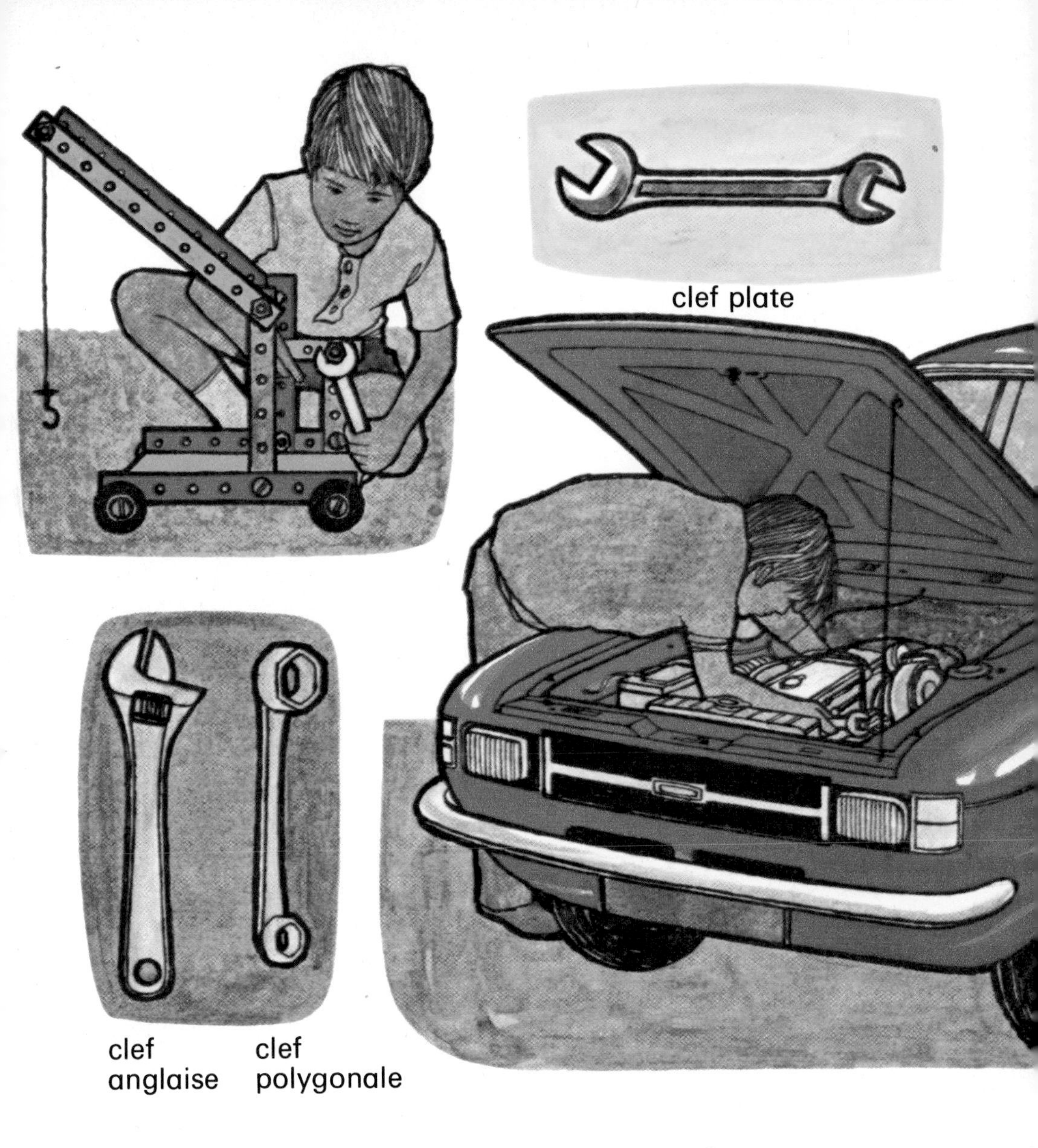

Des clefs spéciales sont utilisées
pour visser les écrous.
Ainsi, les boulons sont bien serrés.

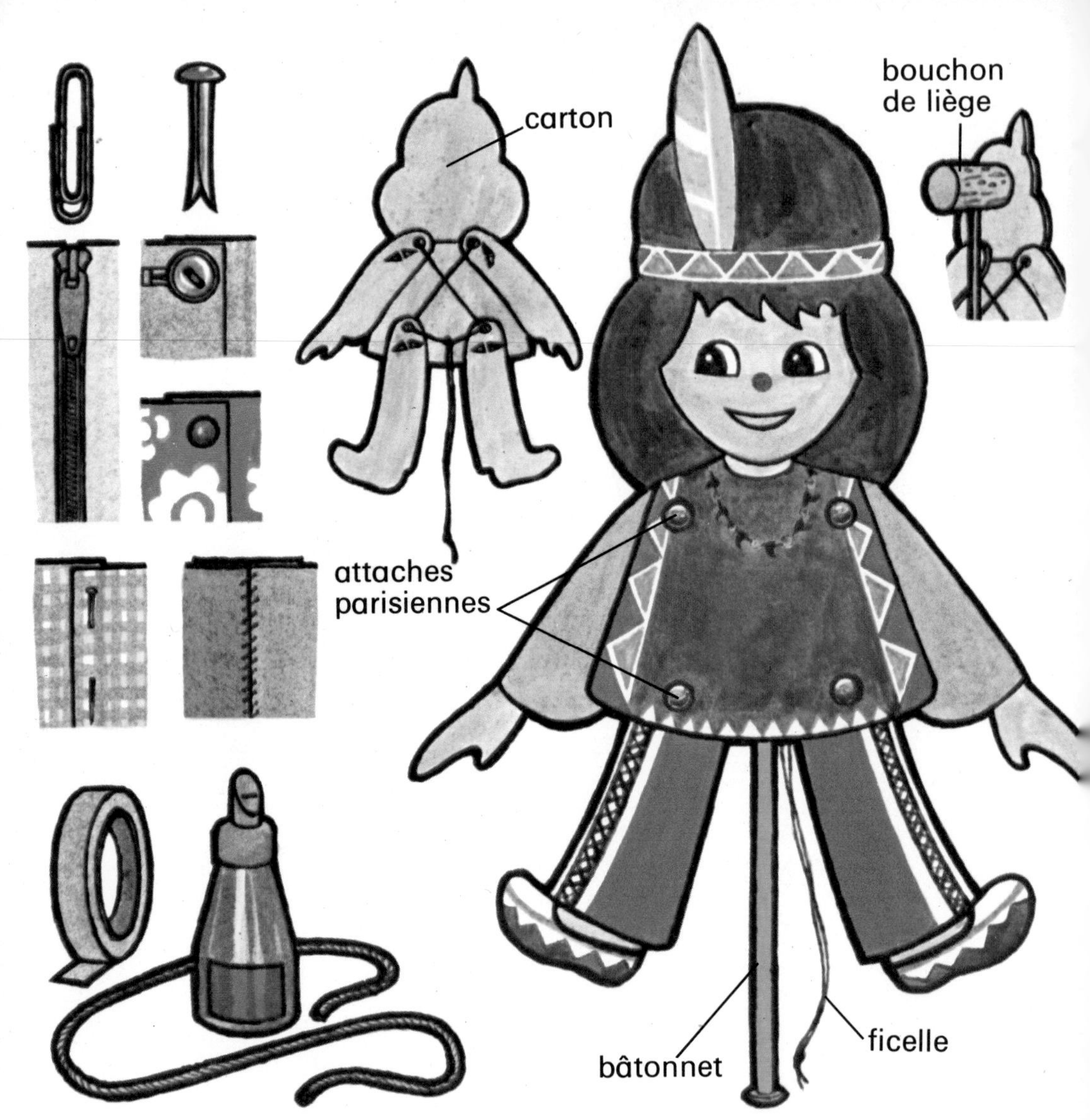

Des objets ou parties d'objet peuvent être assemblés de bien des façons. Ce pantin est assemblé à l'aide d'attaches parisiennes repliées.

La ficelle a de nombreux usages.
Un nœud de vache coulisse;
un nœud plat reste serré.
Peux-tu faire un nœud plat?

Avec des pailles, tu peux
réaliser des tas de choses.
Attache-les avec des épingles.

Roule du papier journal en
forme de tubes. Assemble-les
à l'aide de ruban adhésif.
Peux-tu te construire une «maison»?

Pour boucher le trou de la bouilloire,
on utilise du fil de soudure.
Le fil fond à la chaleur du fer.
Il durcira en se refroidissant.

Les pièces d'acier sont souvent soudées.
La chaleur intense fond et unit
les bords des pièces à assembler.

Il y a beaucoup de sortes de colles.
Certaines ne collent que le papier.
D'autres collent le bois.
La colle universelle colle tout.

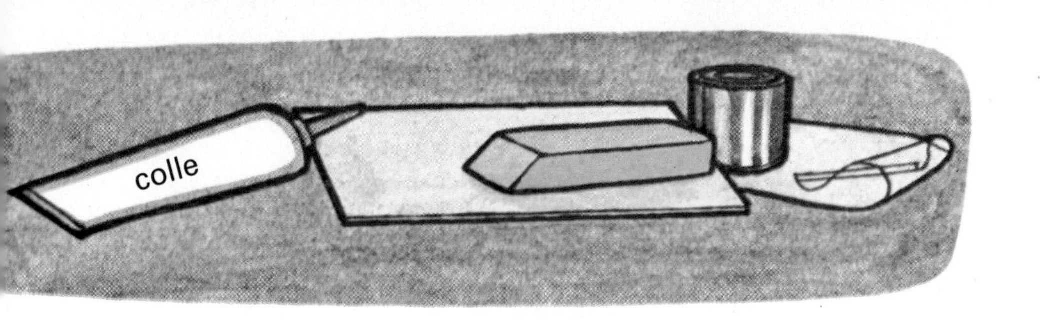

Essaie différentes colles.
Ce pont est en bois de balsa.
Veux-tu en construire un pareil?
Sera-t-il solide?

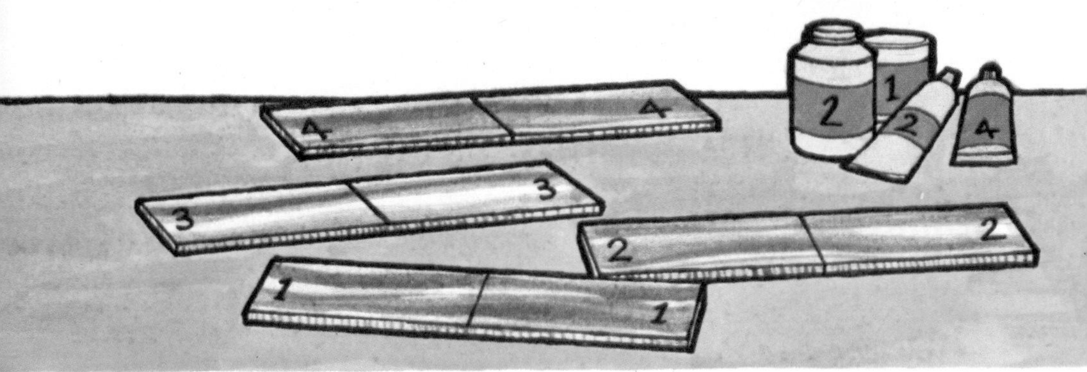

Scie des morceaux de bois égaux.
Colle-les deux par deux, bout à bout.
Prends pour chaque paire une colle
différente. Laisse-les sécher.

Pour mesurer la résistance de la colle, procède comme ci-dessus.
Ajoute des billes dans le carton jusqu'à ce que la colle cède.

Il existe différentes sortes
de rubans adhésifs.
Essaie-les sur plusieurs matières.
Lequel colle le mieux sur chacune?

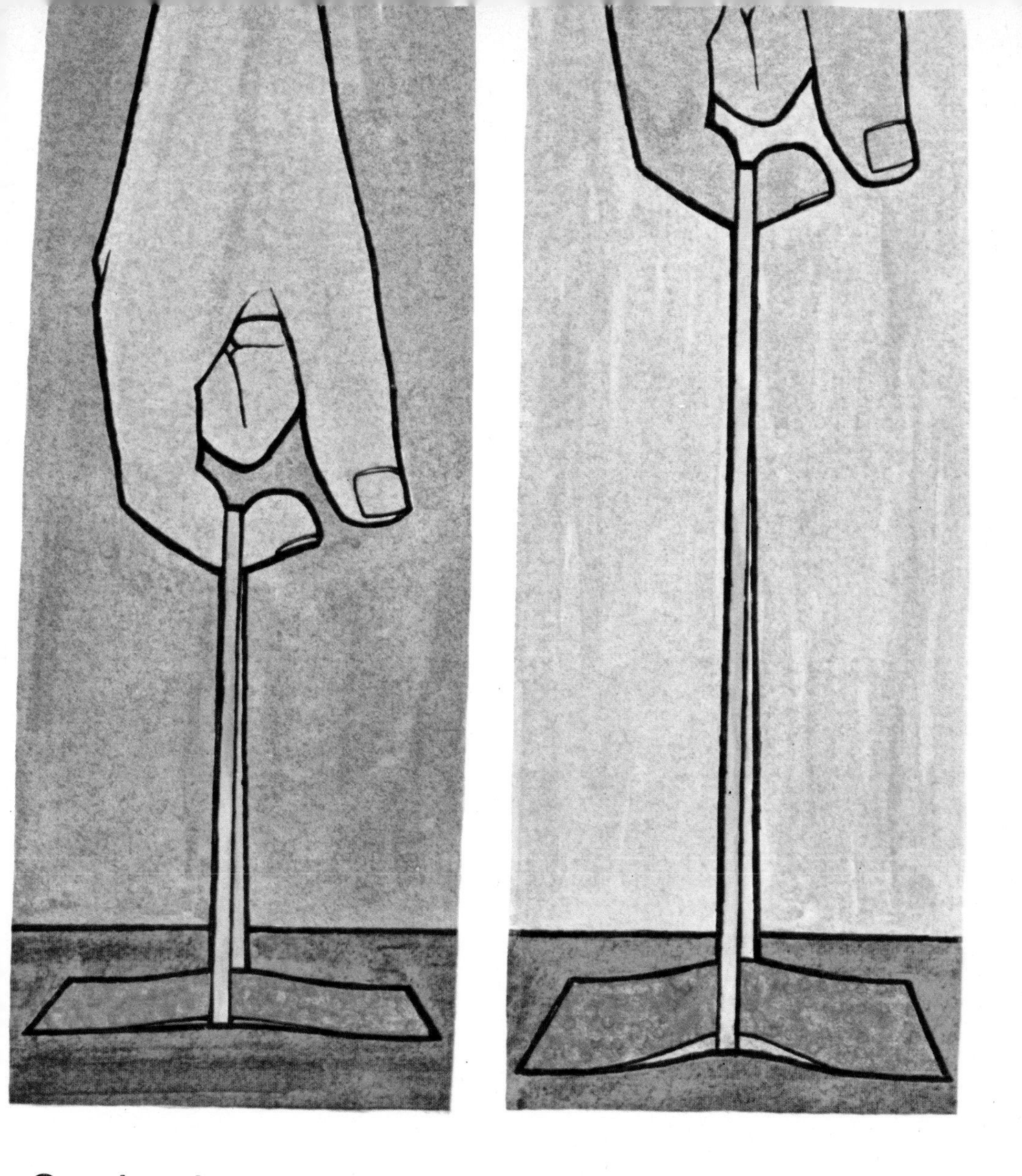

Quel ruban colle le mieux à la table?
Dois-tu tirer fort sur l'élastique
pour que le ruban adhésif se détache?

Index